루미곰의
프랑스어 영어 대조
여행회화, 단어

꿈그린 어학연구소

루미곰의 프랑스어 영어 대조 여행회화, 단어

발 행 2024년 06월 30일
저 자 꿈그린 어학연구소
펴낸곳 꿈그린
E-mail kumgrin@gmail.com

ISBN 979 - 11 - 93488 - 20 - 1

`

루미곰의
프랑스어 영어 대조
여행회화, 단어

꿈그린 어학연구소

머리말

이 책은 프랑스 및 불어권 나라 체류 시 필요한 단어와 회화를 상황 별로 정리한 프랑스어 기초 여행 회화 책입니다.

특히 여행 회화책이 필요한 상황에서 상황 별 필요 문장 습득뿐만 아니라 기초적인 문법과 필수 단어도 같이 익히고 싶으신 분들에게 이 책은 적격입니다.

이미 시중에 많은 프랑스어 회화책이 나와 있는 상황에서 이 책이 기존 책들과의 차별 점은 모든 프랑스어 문장 및 단어의 영어 직역도 같이 소개했다는 점입니다.

이렇게 프랑스어와 영어를 대조해 놓았기에 프랑스어와 영어가 자주 사용되는 유럽에 체류하면서 기본적인 프랑스어 지식을 얻고자 하는 독자에게도 이 책을 추천드릴 수 있습니다.

특히 이 책은 필수 여행 회화부터 기타 생활 속 표현을 중심으로 약 350 개의 중요 문장 표현과 500 개의 기초 단어를 테마 별로 정리하는데 중점을

두었습니다. 발음 규칙이나 문법 맛보기 설명에 있어서도 본문 문장을 이해하는데 필요한, 프랑스어를 처음 접하는 분들이 당장에 알아야 할 아주 기초적인 내용만을 소개하는데 집중하였습니다.

   프랑스어 및 영어 회화 대조, 프랑스어 기초 문법 숙지 및 테마 별 단어 공부를 모두 같이 할 수 있다는 점이 이 책의 매력입니다.

   이 책을 통하여 많은 여행자들이 쉽게 프랑스어를 익히고 프랑스어권 여행에 재미를 더할 수 있기를 바랍니다.

2024 년 06 월
꿈그린 어학연구소

차 례

발 음

1. 알파벳

알파벳	명칭	발음
A a	아 (a)	/ɑ/
B b	베 (bé)	/b/
C c	세 (se)	/k/, /s/
D d	데 (dé)	/d/
E e	으 (e)	/e/, /ə/, /ɛ/
F f	에프 (effe)	/f/
G g	제 (gé)	/g/, /ʒ/
H h	아쉬 (ache)	묵음
I i	이 (i)	/i/, /j/
J j	지 (ji)	/ʒ/
K k	카 (ka)	/k/
L l	엘 (elle)	/l/
M m	엠 (emme, /ɛm/)	/m/
N n	엔느 (enne, /ɛn/)	/n/

O o	오 (o)	/o/, /ɔ/
P p	페 (pé)	/p/
Q q	뀌 (ku)	/k/
R r	에흐 (erre)	/ʁ/
S s	에스 (esse)	/s/
T t	테 (té)	/t/
U u	위 (u)	/y/, /ɥ/
V v	베 (vé)	/v/
W w	두블르베 (double vé)	/w/,/v/
X x	익스 (ix)	/ks/, /gz/, /s/, /z/
Y y	이그헥 (i grec)	/j/
Z z	제드 (zède)	/z/

*철자부호

- Accent Aigu 악썽 때귀 (é): /e/발음이 납니다.

  예: école[에꼴] (학교)

- Accent Grave 악썽 그하브 (è, à, ù): è가 /ɛ/ 발음이 나고, à, ù는 a, u와 발음이 같습니다.

  예: père [페흐] (아버지), à [아] (~에), où [우] (어디)

- Accent Circonflexe 악성 씨흐꽁플렉스 (â, ê, î, ô, û): ê 가 /ɛ/ 발음이 나는 것과, ô를 장음으로 발음하는 것 외에는 발음 차이가 거의 없습니다.

  예: fête [페트] (축제), hôpital [오피탈] (병원)

- Tréma 트레마 (ë, ï, ü): 이중 모음 중 뒤쪽의 모음에 붙어서 발음을 따로 하게 합니다.

  예: Noël [노엘] (크리스마스),

    maïs [마이스] (옥수수)

- Cédille 쎄디으 (ç): C에 이 부호가 붙으면 a, o, u 앞에서도 /k/발음이 아닌, /s/의 발음이 납니다.

  예: français [프랑세] (프랑스어)

2. 발음 규칙

  불어에서 단어 끝에 오는 자음은 발음하지 않습니다. 단, 불어에는 연독 현상(liaison)이 있어서 단어 하나만 있을 때는 이 끝 자음을 발음하지 않더라도 그 다음 단어의 처음 글자가 모음이나 무음 h이면 이 첫 단어의 묵음이 발음됩니다. 즉 un ami의 경우 '엉 아미'가 아닌 '엉 나미'처럼 발음되는 것입니다. 이는 보통 관사 및 형용사와 명사, 관사와 형용사, 대명사와 동사사이에서 발생됩니다. 물론 의미상 서로 관련이 없거나 쉼표나 마침표가 있을 때는 연음이 일어나지 않습니다.

1) 주의해야 할 발음

B - [be] 두 입술이 닿으면서 [베]로 발음합니다.

C - [se] a, o, u 앞에서는 [꺄, 꼬, 뀌], 그 외 나머지에서는 s발음이 되어, ce, ci는 [쓰, 씨]로 발음합니다. 또한 ch는 [쉬]로 발음됩니다.

E - [ə] 입술을 약간 둥글게 하고 목에 힘을 주고 내는 [으]소리입니다.

F - [ɛf] ph도 f와 같은 발음이 됩니다.

G - [ʒe] [쥬에]를 빨리 발음하는 느낌입니다. a, o, u 앞에서는 [갸, 고, 귀], e, i와는 [쥬, 지]가 됩니다.

참고로 gn은 n만 발음합니다.

H - [aʃ] 보통은 묵음입니다.

J - [ʒi] 목에 힘을 준 상태로 [쥬이]를 빨리 발음 합니다.

K - [ka] 보통 외래어에 쓰이고 [끄]로 발음합니다.

M - [ɛm] 코로 [엠]소리를 내보냅니다.

N - [ɛn] 코로 [엔느]소리를 내보냅니다.

P - [pe] '쁘'에 가깝게 발음됩니다.

Q - [ky] 입술을 오므린 상태에서 [뀌]로 발음합니 다. 단, qu가 되면 u발음을 하지 않고 k처럼 발음 합니다.

R - [ɛʁ] 혀가 밑에 있는 상태에서 목에서 끓어오 르는 듯한 느낌으로 [에흐]로 발음해 줍니다.
    예: rouge [후즈] (빨강)

S - [ɛs] s가 모음 사이에 있으면 z발음이 납니다.

단어 끝에 오는 s는 발음하지 않습니다.

T - [te] 'ㄸ'에 가까운 발음입니다. -tion의 경우 '씨옹'처럼 읽음을 기억합시다.

U - [y] 입술을 앞으로 내밀고 오므린 상태에서 [우]발음을 하려는 입모양에서 [이]의 발음을 한다는 느낌으로 발음합니다.
  예: lune [뤼ㄴ] (달)

V - [ve] 윗니와 아랫입술이 닿으면서 소리가 납니다.

W - [dubləve] 영어의 w와 v처럼 발음됩니다.
  예: wagon [바공] (마차)

X - [iks] /ks/, /gz/, /s/, /z/ 4가지 발음이 있습니다.
  예: six [씨쓰] (6) /s/, taxé [딱쓰] (세금) /ks/,
     dixième [디지엠] (열번째) /z/,
     exercise [에그제스씨스] (연습) /gz/

2) 비모음

엉 [ɑ̃] - an, am, em, en, aen, aon, ient: 콧소리로 '엉'
발음
옹 [ɔ̃] - on, om: 콧소리로 '옹' 발음
앙 [ɛ̃] - in, im, yn, ym, ain, aim, ein, eim, (i)en, / un,
um: 콧소리로 '앙' 발음
　(un, um의 발음은 [œ̃]로, [ɛ̃]과 거의 비슷한 [앙]
　발음입니다)

3) 모음 결합

AI [e]: [에]로 발음됩니다. é, è, ê도 모두 같은 발음
입니다.
　예: mais [메] (그러나)
EI [ɛ]: [에]로 발음됩니다.
　예: seize [쎄즈] (16)
AU [o]: [오]로 발음되며 eau, o도 같은 발음입니다.
　예: eau [오] (물)

OU[u]: [우]로 발음됨을 기억합시다.

　예: sous [수] (아래에)

EU[ø] [œ]: [으]로 발음됩니다. '우'발음을 하려는
입모양에서 [으]의 발음을 한다는 느낌으로 발음
해보세요.

　예: peur [쁘흐] (두려움)

OI[wa]: [우아]로 발음됩니다.

　예: moi [무아] (나)

OIN[wɛ̃]: [우앙]처럼 발음됨을 기억하세요.

　예: loin [루앙] (멀리)

UI[ɥi] '우'발음을 하려는 입모양에서 [이]의 발음
을 한다는 느낌으로 [위]처럼 발음하세요.

　예: nuit [뉘] (밤)

Yes.

Oui.   [위]

네.

No.

Non.   [농]

아니요.

I want…

Je veux... [주 브...]

~원해요.

I would like to....

Je voudrais...

[주 부드헤...]

~하고 싶어요.

Do you have....?

Avez-vous...?

[아베 부...]

~있으세요?

I need…

J'ai besoin de...

[자 부스왕 드...]

~필요해요.

Can I...?

Puis-je...?　　[퓌 제...]

~할 수 있나요?

Could I...?

Pourrais-je...?　[푸헤 제....]

~할 수 있나요? (공손)

Can you ....?

Pouvez-vous...? [푸베 부...]

~할 수 있어요?

Could you ....?

Pourriez-vous...?　[푸예 부...]

~할 수 있어요? (공손)

Do you know ....?

Savez-vous...? [사베 부...]

~아세요?

I do not know.

Je ne sais pas. [주 느 세 빠]

모릅니다.

There is...

Il y a... [일 리 야...]

~있습니다.

< 인칭대명사 >

나	**Je**	I
당신	**Tu**	You
그	**Il**	He
그녀	**Elle**	She
비인칭 주어, 우리(대화체)	**On***	We, One
우리	**Nous**	We
당신(들)	**Vous**	You (pl.)
그들(남자, 혼성)	**Ils**	They
그들(여성)	**Elles**	They (f.)

* il, elle 과 같은 3인칭 단수로 변화한다.

< 의문사 >

누가	**Qui**	Who
언제	**Quand**	When
어디서	**Où**	Where
무엇을	**Qu'est-ce que / Que**	What
어떻게	**Comment**	How
왜	**Pourquoi**	Why

Good morning! / Hello!

Bonjour!   [봉쥬ㅎ!]

안녕하세요.

Good afternoon!

Bon après-midi!   [본 아프레 미디]

안녕하세요. (낮)

Good evening!

Bonsoir!   [봉 스와]

좋은 밤 되세요.

Good night!

Bonne nuit! [본 누이]

잘자요.

Bye!

Salut! [살루]

Au revoir! [오 흐부아]

안녕히! (헤어질 때)

See you!

À bientôt! [아 비엔토]

다음에 봐요.

Sleep well!

Dormez bien! [도흐메 비엔]

잘 자요.

Happy Birthday!

Joyeux anniversaire!

[즈와유 아니벡세흐]

생일 축하합니다.

Merry Christmas!

Joyeux Noël!

[즈와유 노엘]

즐거운 성탄절 되세요.

Happy new year!

Bonne année!   [본 아니]

새해 복 많이 받으세요.

02 안 부

Long time no see.

Ça fait longtemps.

[사 페 롱템]

오랜만입니다.

How are you?

Comment ça va? [코몽 싸 바]

잘 지내요?

I am fine.

Je vais bien. [주 베 비앙]

잘 지내요.

Good, thanks.

Bien, merci.　　[비엔 메시]

좋아요, 고마워요.

And you?

Et toi? [에 투아]

당신은요?

Fine.

Ça va. [싸 바]

나쁘지 않아요.

Not so good.

Pas très bien.　　[파 트레 비앙]

아주 좋지는 않아요.

I am sorry to hear that.

Je suis désolé d'entendre ça.

[제 수이 데졸레 데텅드ㅎ 싸]

그런 말을 듣게 되어 유감입니다.

문법 맛보기

프랑스어의 명사는 남성형 또는 여성형으로 나뉩니다. 명사의 성별은 형용사, 대명사, 관사 등과의 일치에 영향을 미칩니다.

대개 명사의 성별은 자연성을 따릅니다. 즉, 어머니, 딸과 같이 자연성이 여성인 경우 여성형이며, "-e", "-ion", "-té", "-tude"등으로 끝나면 보통 여성명사들입니다.

차용어나 "-o" 로 끝나는 명사들에 남성형이 많으나 많은 예외가 있습니다. 보통 남성명사에 e를 넛붙이면 여성명사가 됩니다.

예: un ami 남자 친구 → une amie 여자 친구

03 자 기 소 개

Nice to meet you!

Enchanté(e)!　[앙 숑테]

만나서 반갑습니다.

What's your name?

Comment vous appelez-vous?

[꼬몽 부 자플레 부]

당신의 이름은 무엇입니까?

My name is…

Je m'appelle... [주 마뻴..]

제 이름은 ~ 입니다.

What do you do for a living?

Que faites-vous dans la vie?

[케 페 부 당 라 비]

직업이 무엇입니까?

I am...

Je suis…   [즈 스위...]

저는 ~ 입니다.

How old are you?

Quel âge avez-vous?   [껠 아쥐 아베 부]

몇 살이세요?

I am ... years old.

J'ai ... ans.   [재 ... 앙]

~살 입니다.

Are you married?

Êtes-vous marié(e)?

[에테 부 마히에]

기혼이신가요?

I am single.

Je suis célibataire.

[제 스위 셀리바테흐]

저는 미혼입니다.

< 사람 관련 단어 >

	불어	영어	부정관사*
사람	**personne**	person	une
남자	**homme**	man	un
여자	**femme**	woman	une
소녀	**fille**	girl	une
소년	**garçon**	boy	un
쌍둥이	**jumeau/jumelle**	twin	un/une
유아	**nourrisson**	infant	un
어린이	**enfants**	children	des
어른	**adulte**	adult	un/une
미스	**mademoiselle**	miss	une
미스터	**monsieur**	mister	un
동료	**collègue**	colleague	un/une
가족	**famille**	family	une
부모님	**parents**	parents	des
아버지	**père**	father	un
어머니	**mère**	mother	une
이웃	**voisin/voisine**	neighbor	un/une
아들	**fils**	son	un
딸	**fille**	daughter	une
남편	**mari**	husband	un

아내	**femme/épouse**	wife	une
부부	**couple**	couple	un
자매	**sœur**	sister	une
형제	**frère**	brother	un
할머니	**grand-mère**	grandmother	une
할아버지	**grand-père**	grandfather	un
손주	**petit-enfant**	grandchild	un
사촌	**cousin/cousine**	cousin	un/une
남자 친구	**petit ami**	boyfriend	un
여자 친구	**petite amie**	girlfriend	une
삼촌	**oncle**	uncle	un
이모, 고모	**tante**	aunt	une

*모든 프랑스어 단어는 남성, 여성으로 나뉘어 집니다. 각 단어의 부정관사(un: 남성, une: 여성, des: 복수)를 소개함으로써 각 단어의 성별을 알 수 있게 하였습니다.

04 사 과

Sorry!

Désolé! [데졸레]

미안합니다.

I am sorry.

Je suis désolé.

[제 스위 데졸레]

죄송합니다.

I am very sorry.

Je suis vraiment désolé.

[제 스위 브헤멍 데솔레]

정말 죄송합니다.

Excuse me.

Excusez-moi.   [엑스쿠제 므아]

실례합니다.

It is okay.

C'est bon.   [쎄 봉]

괜찮아요.

Am I bothering you?

Est-ce que je vous dérange?

[에스크 제 부 데항쥐]

제가 방해했나요?

Don't worry.

Ne t'inquiète pas. [네 탕키엣 파]

걱정 마세요.

Never mind.

Peu importe.

[푸 앙포트]

신경 쓰지 마세요.

I feel sorry for you.

Je suis désolé pour toi.

[제 스위 데솔레 포 투아]

유감입니다.

Congratulations!

Félicitations!   [펠리시타시옹]

축하해요.

Thank you!

Merci! [멕ㅎ시]

고마워요.

Thank you for the help.

Merci pour l'aide.

[멕시 포 레드]

도와주셔서 감사합니다.

Thank you so much!

Merci beaucoup!

[멕시 보쿠]

정말 감사합니다.

You are very kind.

Vous êtes très gentil(le).

[부제 트레 정티]

너무 친절하세요.

You are welcome!

je vous (en) prie.

[제 부 정 프리]

천만에요.

It was nothing.

De rien!

[드 히앙]

별것 아닙니다.

No problem!

Pas de problème.

[파 드 프호브렘]

뭘요, 문제없어요.

My pleasure.

Avec plaisir.

[아벡 플레지에]

저도 좋았는걸요.

부 탁

Could you help me?

Pourriez-vous m'aider?

[푸에 부 메데]

저 좀 도와주실 수 있으세요?

Can I ask you something?

Puis-je vous poser une question?

[퓌이 부 포제 운 케스티옹]

뭐 좀 여쭤봐도 되나요?

Of course!

Bien sûr!　　　[비엔 쉬어]

네 물론이죠.

Can I take this?

Puis-je prendre ceci?

[퓌제 프헝 세시]

이것을 가져도 되나요?

Sure, go ahead. / Here you are.

Bien sûr, allez-y. / Tenez.

[비엔 쉬어 알레쥐] / [투네]

(그럼요) 여기 있어요.

Let me help you.

Laissez-moi vous aider.

[레세 므아 부 제데]

제가 도와드릴게요.

Yes, how can I help you?

Oui, comment puis-je vous aider?

[위 코몽 퓌제 부 제데]

네, 무엇을 도와드릴까요?

No, sorry.

Non, désolé(e).   [농 데솔레]

아뇨, 죄송해요.

No, I do not have time now.

Non, je n'ai pas le temps maintenant.

[농 제 네 파 르 텅 망트넝]

아뇨, 지금 시간이 없어요.

Wait a minute, please.

Attendez une minute, s'il vous plaît.

[아텅 데 운 미눗 실부플레]

잠시만요.

OK.

D'accord.

[다커]

좋습니다.

Perhaps.

Peut-être.

[프테트]

아마도요.

07 날짜, 시간

What day is it today?

Quel jour sommes-nous aujourd'hui?

[퀠 조 솜메 누 오즈뒤]

오늘은 무슨 요일이죠?

Today is Tuesday.

Aujourd'hui, c'est mardi.

[오즈뒤 세 마흐디]

What's the date today?

Quelle est la date aujourd'hui?

[껠 에 라 닷 오즈뒤]

오늘은 며칠입니까?

Today is March 9th.

Aujourd'hui, nous sommes le 9 mars.

[오즈뒤 누 솜 르 누프 마]

오늘은 3월 9일입니다.

What time is it?

Quelle heure est-il?

[켈 으어 에 틸]

지금은 몇 시입니까?

It is five past four. (4:05)

Il est quatre heures cinq.

[일 에 꺄트어 상크]

4시 5분입니다. (4 그리고 5)

It is a quarter past four. (4:15)

Il est quatre heures et quart.

[일 에 꺄트어 에 꺄트]

4시 15분입니다. (4 그리고 15)

It is a half past four. (4:30)

Il est quatre heures et demie.

[일 에 꺄트어 에 드미]

4시 30분입니다. (4 그리고 반)

It is a quarter to five. (4:45)

Il est cinq heures moins le quart.

[일 에 상커 므아 르 꺄트]

4시 45분입니다. (5 빼기 15)

It is ten to five. (4:50)

Il est cinq heures moins dix.

[일 에 상커 므아 디스]

4시 50분입니다. (5 빼기 10)

문법 맛보기

관사는 명사 앞에 쓰여 명사의 성별과 수를 나타냅니다. 정관사 L'는 모음 또는 묵음 h로 시작하는 명사 앞에서 le, la의 축약형태로 쓰입니다.

	정관사	부정관사
남성	le	un
여성	la	une
복수	les	des

Le chien (그 개), La voiture (그 차), L'homme (그 남자)

Les chiens (그 개들), Les voitures (그 차들),

Les hommes (그 남자들)

Un chien (한 개의 개), Une voiture (한 대의 차)

Des chiens (몇 마리의 개), Des voitures (몇 대의 차)

< 숫자 >

	기수	서수
1	un	premier/première
2	deux	deuxième
3	trois	troisième
4	quatre	quatrième
5	cinq	cinquième
6	six	sixième
7	sept	septième
8	huit	huitième
9	neuf	neuvième
10	dix	dixième
11	onze	onzième
12	douze	douzième
13	treize	treizième
14	quatorze	quatorzième
15	quinze	quinzième
16	seize	seizième
17	dix-sept	dix-septième
18	dix-huit	dix-huitième
19	dix-neuf	dix-neuvième
20	vingt	vingtième
21	vingt et un	vingt et unième
22	vingt-deux	vingt-deuxième
…	...	...
10	dix	dixième
20	vingt	vingtième
30	trente	trentième
40	quarante	quarantième

50	cinquante	cinquantième
60	soixante	soixantième
70	soixante-dix	soixante-dixième
80	quatre-vingts	quatre-vingtième
90	quatre-vingt-dix	quatre-vingt-dixième
100	cent	centième
1000	mille	millième

* 17부터 19까지는 10에 1자리수를 더하는 형태가 됩니다.

80은 4x20로 quatre-vingts이나, 81부터는 vingt으로 단수형으로 쓰임을 기억합시다.

이 외에 70이 soixante-dix(60+10), 90은 quatre-vingt-dix (4x20+10)의 복잡한 형태임도 기억합시다.

21처럼 일의 자리 숫자가 1인 경우 1앞에 '그리고'에 해당하는 et이 들어감에 주의해주세요.

단, 71은 soixante et onze(60+11), 81은 quatre-vingt-un(4x20+1), 91은 quatre-vingt-onze(4x20+11)이 됩니다.

< 월 >

1 월	**janvier**	January
2 월	**février**	February
3 월	**mars**	March
4 월	**avril**	April
5 월	**mai**	May
6 월	**juin**	June
7 월	**juillet**	July
8 월	**août**	August
9 월	**septembre**	September
10 월	**octobre**	October
11 월	**novembre**	November
12 월	**décembre**	December

< 요일 >

월요일	**lundi**	Monday
화요일	**mardi**	Tuesday
수요일	**mercredi**	Wednesday
목요일	**jeudi**	Thursday
금요일	**vendredi**	Friday
토요일	**samedi**	Saturday
일요일	**dimanche**	Sunday

< 날, 시간 관련 >

그저께	avant-hier	the day before yesterday	-
어제	hier	yesterday	-
오늘	aujourd'hui	today	-
내일	demain	tomorrow	-
모레	après-demain	the day after tomorrow	-
평일	jour de la semaine	weekday	-
주말	week-end	weekend	-
날	jour	day	un
주	semaine	week	une
달	mois	month	un
년	an	year	une
초	seconde	second	une
분	minute	minute	une
시	heure	hour	une

08

출 신

Where are you from?

D'où êtes-vous? [두 에테 부]

어디 출신이세요?

I am from Korea.

Je viens de Corée.

[제 비앙 데 코레]

한국에서 왔습니다.

What brings you here?

Qu'est-ce qui vous amène ici?

[케스 키 부 자메네 이시]

어떻게 여기에 오게 되셨나요?

I study / work here.

Je travaille / étudie ici.

[제 트라바이 / 에투디 이씨]

저 여기서 공부 / 일해요.

I am Korean.

Je suis coréen(ne).

[제 스이 코히앙(코히엔느)]

저는 한국 사람입니다.

I am originally from Busan.

Je viens à l'origine de Busan.

[제 비엔 아 로히진 드 부산]

제 출신지는 부산입니다.

Which city do you live in?

Dans quelle ville habitez-vous?

[당 켈 빌 아베테 부]

어느 도시에서 사세요?

I live in Seoul.

J'habite à Séoul.

[자빗 아 세울]

서울에서 살아요.

< 국명 >

정관사와 함께*

스웨덴	**Suède**	Sweden	La Suède
핀란드	**Finlande**	Finland	La Finlande
덴마크	**Danemark**	Danmark	Le Danemark
노르웨이	**Norvège**	Norway	La Norvège
미국	**Amérique/**	America/	L'Amérique /
	États-Unis	USA	Les États-Unis
영국	**Angleterre**	England	L'Angleterre
독일	**Allemagne**	Germany	L'Allemagne
프랑스	**France**	France	La France
스페인	**Espagne**	Spain	L'Espagne
이탈리아	**Italie**	Italy	L'Italie
한국	**Corée****	Korea	La Corée
일본	**Japon**	Japan	Le Japon
중국	**Chine**	China	La Chine
네덜란드	**Pays-Bas**	Holland	Les Pays-Bas

*"L'"는 모음 또는 묵음 h로 시작하는 명사 앞에서 사용됩니다. "Les"는 복수형 명사 앞에서 사용됩니다.

** 남한을 불어로 la Corée du Sud라 합니다.

09

언 어

Do you speak …?

Parlez-vous … ?   [파흐레 부]

~어를 하시나요?

I speak a little...

Je parle un peu...   [즈 파흐레 엉 푸]

~어를 조금 합니다.

I do not speak....

Je ne parle pas....   [제 느 파흐레 파]

~어를 못합니다.

55

Does anyone here speak ...

Est-ce que quelqu'un parle ... ici?

[에스끄 켈컹 파흐레... 이시]

~를 하시는 분 계시나요?

What .... is in English?

Comment dit-on .... en anglais?

[꼬몽 디통.... 앙 엉글레]

~은 영어로 뭐예요?

How do you say that in French?

Comment dit-on ça en français?

[꼬몽 디통 싸 앙 프랑세]

그것은 불어로 어떻게 말해요?

How do you pronounce that?

Comment se prononce cela?

[꼬몽 세 프로농스 세라]

이것은 어떻게 발음해요?

What does this mean?

Que veut dire cela?

[께 보 디어 세라]

이것은 무슨 뜻이죠?

Do you understand me?

Me comprenez-vous?

[메 콩프러네 부]

제 말을 이해하셨나요?

I do not understand.

Je ne comprends pas.

[제 느 콩펑 파]

이해하지 못했어요.

I understand that.

Je comprends.

[제 콩펑]

이해는 합니다.

Could you speak a little slower?

Pourriez-vous parler lentement?

[푸예 부 파흐레 랑트망]

천천히 말해 줄 수 있나요?

Could you say that again?

Pourriez-vous répéter cela?

[푸예 부 레페테 세라]

다시 말해 주실 수 있으세요?

Could you write it down?

Pourriez-vous l'écrire?

[푸예 부 레크리헤]

써주실 수 있으세요?

Could you spell that for me?

Pourriez-vous épeler cela pour moi?

[푸예부 에플레 세라 포 므아]

철자를 알려주실 수 있으세요?

< 언어 >

스웨덴어	**suédois**	Swedish	Le suédois
핀란드어	**finnois**	Finnish	Le finnois
덴마크어	**danois**	Danish	Le danois
노르웨이어	**norvégien**	Norwegian	Le norvégien
영어	**anglais**	English	L'anglais
독일어	**allemand**	German	L'allemand
프랑스어	**français**	French	Le français
스페인어	**espagnol**	Spanish	L'espagnol
이탈리아어	**italien**	Italian	L'italien
한국어	**coréen**	Korean	Le coréen
일본어	**japonais**	Japanese	Le japonais
중국어	**chinois**	Chinese	Le chinois
네덜란드어	**néerlandais**	Dutch	Le néerlandais

*위 모든 언어의 성별은 남성형입니다.

10

의 견

What do you think?

Qu'en pensez-vous?

[컹 펑세 부]

뭐라고 생각하세요?

What's going on?

Que se passe-t-il?　　　[껴 세 파세틸]

무슨 일이죠?

I think that…

Je pense que... [제 펑스 끄...]

~라고 생각합니다.

What do you prefer?

Qu'est-ce que vous préférez?

[케스 끄 부 프레페헤]

뭐가 좋으세요?

I like it.

Ça me plaît.   [싸 므 프레]

그거 마음에 들어요.

I do not like it.

Ça ne me plaît pas. [쌰 느 므 프레 파]

그거 마음에 안 들어요.

I like / hate to do that.

J'aime / Je déteste faire ça.

[잼 / 제 데테스 페 쌰]

하기 좋아합니다. /싫어합니다.

I am happy.

Je suis heureux(se).   [제 쉬 외후]

기쁩니다.

I am not happy.

Je ne suis pas heureux(se).

[제 느 스 빠 외후]

기쁘지 않습니다.

I am not in a good mood.

Je ne suis pas de bonne humeur.

[제 느 스 빠 디 보뉘 머]

기분이 좋지 않습니다.

I am interested in…

Je m'intéresse à...

[제 멍테헤 사...]

~에 흥미가 있습니다.

I am not interested.

Ça ne m'intéresse pas.

[쌰 느 멍테헤세 빠]

흥미 없습니다.

I am bored.

Je m'ennuie.

[제 멍뉘]

지루합니다.

It does not matter.

Ça n'a pas d'importance.

[쌰 네 파 덩포ㅎ텅]

상관없어요.

Really?

Vraiment? [브헤멍]

정말로요?

I've had enough.

J'en ai assez. [제 네 아씨]

이제 충분합니다. 질리네요.

Not bad!

Pas mal. [파 말]

나쁘지 않네요.

Great! / Wonderful!

Génial! / Merveilleux!

[지니알] / [메ㅎ베유]

좋아요. / 멋져요.

What a pity!

Quel dommage!

[켈 도마쥐]

안타깝네요.

11

전 화

Is this...?

Est-ce que c'est....?

[에스끄 쎄...]

~이신가요?

This is ...

C'est... [쎄...]

~입니다.

Can I speak to...?

Puis-je parler à....? [퓌 제 파흘레 아...]

~랑 통화할 수 있나요?

I'd like to speak to..

Je voudrais parler à..

[제 부드헤 파흘레 아...]

~랑 통화하고 싶습니다.

Who is calling?

Qui appelle?

[끼 아펠]

누구시죠?

You have the wrong number.

Vous avez composé le mauvais numéro.

[부 아베 콤포제 르 모베 누메호]

잘못된 번호로 거셨습니다.

The line is busy.

La ligne est occupée.

[라 리니에 오쿠페]

통화 중입니다.

He is not here right now.

Il n'est pas là maintenant.

[일 네 파 라 망테넝]

그는 지금 자리에 없습니다.

Can you let him/her know I called?

Pourriez-vous lui faire savoir que j'ai appelé?

[포예 부 뤼 페 사보아 꾸 제 아플레]

제가 전화했다고 전해주시겠습니까?

Please let him/her know I called.

S'il te plaît, fais-lui savoir que j'ai appelé.

[실트플레 페 뤼 사보아 꾸제 아플레]

제가 전화했다고 전해주세요.

Can you ask him/her to call me back?

Pouvez-vous lui demander de me rappeler?

[푸베 푸 뤼 드멍데 드 무 하플레]

다시 전화해 달라고 말씀해 주시겠습니까?

I will call again later.

Je rappellerai plus tard.

[제 하퓌레헤 푸뤼 타]

나중에 전화하겠습니다.

Can I leave a message?

Puis-je laisser un message?

[퓌제 레세 엉 메사쥐]

메시지를 남길 수 있을까요?

What's your phone number?

Quel est votre numéro de téléphone?

[켈 에 보트헤 누메로 드 테레펀]

전화번호가 어떻게 되세요?

My phone number is….

Mon numéro de téléphone est ….

[몽 누메호 드 테레폰 에..]

제 전화번호는~ 입니다.

Can you repeat that?

Pouvez-vous répéter?

[뿌베 부 헤페테]

한 번 더 말해 주실 수 있으세요?

문법 맛보기

프랑스어에서 동사는 약 세 가지 주요 그룹으로 분류되나 여러 불규칙 변화가 존재함을 기억하세요.

1군동사: -er로 끝나는 동사
  예: parler (말하다), aimer (사랑하다), manger (먹다)
2군동사: -ir로 끝나는 동사. 보통 어간에 -iss-가 들어간다.
  예: finir (끝내다), choisir (선택하다), dormir (자다)
3군 동사: -re로 끝나는 동사 및 여러 불규칙 동사
  예: être (이다), vendre (팔다), faire (하다/만들다)

	1 군 Parler	2 군 Finir	3 군 Vendre
Je	parle	finis	vends
Tu	parles	finis	vends
Il/Elle/On	parle	finit	vend
Nous	parlons	finissons	vendons
Vous	parlez	finissez	vendez
Ils/Elles	parlent	finissent	vendent

< 전자 기기 관련 단어 >

컴퓨터	ordinateur	computer	un
랩탑	ordinateur portable	laptop	un
인터넷	Internet	Internet	l'
이메일	courriel	e-mail	un
웹 사이트	site web	website	un
프린터	imprimante	printer	une
카메라	appareil photo	camera	un
메모리카드	carte mémoire	memory card	une
배터리	batterie	battery	une
전기	électricité	electricity	l'
전화	téléphone	phone	un
스마트폰	smartphone	smart phone	un
심카드	carte SIM	SIM card	une
문자 메시지	SMS	text message	un
콘센트	prise	socket	une
충전기	chargeur	charger	un
태블릿 pc	tablette	tablet pc	une
헤드폰	écouteurs	headphones	des

12

우 편, 환 전

Where is the ATM?

Où est le DAB? [우 에 르 답]

ATM 기는 어디에 있나요?

Where is the nearest money exchange office?

Où se trouve le bureau de change le plus proche?

[우 세 토흐베 르 뷔호 디 샤지 르 프뤼 프 포쉬]

여기 주변에 환전소는 어디죠?

I would like to exchange some money.

Je voudrais échanger de l'argent.

[제 부드헤 에샹제 드 라ㅎ정]

돈을 환전하고 싶습니다.

What is the current exchange rate?

Quel est le taux de change actuel?

[껠 에 르 토 드 샹 악추엘]

현재 환율이 어떻게 되죠?

What is the exchange between Dollar and Euro?

Quel est le taux de change entre le dollar et l'euro?

[껠 에 르 토 드 샹ㅈ-앙 르 도라 엣 르호]

달러와 유로의 환율이 어떻게 되죠?

How much is the commission fee?

Quel est le montant de la commission?

[켈 에 르 몽탕 드 라 코미숑]

수수료가 얼마죠?

I want to send this package by
airmail.

Je veux envoyer ce colis par avion.

[제 브 앙브와예 스 코리 파흐 라비온]

이 소포를 항공 우편으로 보내고 싶습니다.

I'd like to send this to America.

Je voudrais envoyer cela en Amérique.

[제 브드헤 앙브와예 세라 엔 아메리끄]

이것을 미국으로 보내고 싶습니다.

How much does it cost to send this letter to Korea?

Combien ça coûte d'envoyer cette lettre en Corée?

[꼼비엔 쌰 꽃 뎅브와에 세트 렛ㅎ 엥 코헤]

한국으로 이 편지 보내는데 얼마죠?

Can I get 6 stamps?

Puis-je avoir 6 timbres?

[퓌 제보아 시스 탕브ㅎ]

우표 6 개 주세요.

Have I put enough stamps on this?

Ai-je mis suffisamment de timbres sur cela?

[아제 미 수피사멍 드 탕브헤 쉭 세라]

우표가 여기 충분한가요?

< 금융 관련 단어 >

한국어	프랑스어	영어	관사
은행	**banque**	bank	une
ATM	**distributeur automatique**	ATM	un
계좌	**compte**	account	un
비밀 번호	**mot de passe**	password	un
달러	**dollar**	dollar	un
유로	**euro**	Euro	un
돈	**argent**	money	un
현금	**espèces**	cash	des
동전	**pièce de monnaie**	coin	une
여행자 수표	**chèques de voyage**	traveler's checks	des
예금	**dépôt**	deposit	un
이자	**intérêt**	interest	un
카드	**carte de crédit**	credit card	une
환율	**taux de change**	exchange rate	un
환전	**change de devises**	currency exchange	un

< 우편 관련 단어 >

국내우편	courrier national	domestic mail	un
국제우편	courrier international	international mail	un
항공우편	courrier aérien	air mail	un
수신인	destinataire	receiver	un
발신인	expéditeur	sender	un
소포	colis	package	un
우체국	bureau de poste	post office	un
우편 번호	code postal	ZIP code	un
우편 요금	affranchissement	postage	un
우편함	boîte aux lettres	mailbox	une
우표	timbre	stamp	un
주소	adresse	address	une
엽서	carte postale	postcard	une
배송조회번호	numéro de suivi	tracking number	un

13

날 씨

What's the weather like today?

Quel temps fait-il aujourd'hui?

[껠 떵 페틸 오쮜디]

오늘 날씨 어때요?

What's the temperature today?

Quelle est la température aujourd'hui?

[껠 레 라 탕페하튀 오쮜디]

오늘 몇 도 정도 될까요?

It's beautiful /nice weather.

Il fait beau temps. [일 페 보 탕]

날씨가 좋네요.

It's cold today.

Il fait froid aujourd'hui. [일 페 프화 오줴디]

오늘 추워요.

It's cool today.

Il fait frais aujourd'hui. [일 페 프헤 오줴디]

오늘 시원해요.

It's hot today.

Il fait chaud aujourd'hui. [일 페 쇼 오줴디]

오늘 더워요.

It's humid /dry.

Il fait humide / sec.

[일 페 유미드 / 섹]

습한 / 건조한 날씨입니다.

81

Will there be bad weather?

Y aura-t-il du mauvais temps?

[이 오라틸 두 모베 텡]

날씨가 안 좋아 질까요?

Will the weather remain like this?

Le temps va-t-il rester comme ça?

[르 텡 바틸 헤스테 꼼 싸]

날씨가 죽 이럴까요?

Is it going to rain?

Va-t-il pleuvoir?   [바틸 플루보아]

비가 올까요?

It's raining.

Il pleut.   [일 플루]

비가 오고 있습니다.

It's snowing.

Il neige.　　　[일 네즈]

눈이 내리고 있습니다.

It's stormy.

Le temps est orageux.

[르 템 에 오하쥐]

폭풍우가 몰아치고 있습니다.

It's sunny.

Il fait soleil.　　[일 페 소레이]

해가 납니다.

It's cloudy.

Il fait nuageux.　[일 페 느아쥐]

날씨가 흐립니다.

It's foggy.

Il y a du brouillard.

[일 리 야 드 브호야]

안개가 꼈습니다.

It's windy.

Il y a du vent.

[일 리 야 드 벙]

바람이 붑니다.

It's icy.

Il y a du verglas.

[일 리 야 드 베흐그라]

얼음이 얼었습니다.

< 날씨 관련 단어 >

구름	**nuage**	cloud	un
해	**soleil**	sun	un
기후	**climat**	climate	un
날씨	**météo**	weather	une
눈	**neige**	snow	une
눈보라	**tempête de neige**	snowstorm	une
무지개	**arc-en-ciel**	rainbow	un
바람	**vent**	wind	un
비	**pluie**	rain	une
서리	**gelée blanche**	frost	une
안개	**brouillard**	fog	un
기온	**température**	temperature	une
온도	**degré**	degree	un
습도	**humidité**	humidity	une
일기 예보	**prévisions météo**	weather forecast	une
진눈깨비	**grésil**	sleet	un
천둥	**tonnerre**	thunder	un
번개	**foudre**	lightning	une
폭풍	**tempête**	storm	une
허리케인	**ouragan**	hurricane	un
홍수	**inondation**	flood	une

< 계절 >

봄	**printemps**	spring
여름	**été**	summer
가을	**automne**	autumn
겨울	**hiver**	winter

*계절은 남성형 명사입니다.

14

교 통

Do you know where … is?

Savez-vous où se trouve…?

[사베 부 우 세 트호...]

~가 어디에 있는지 아시나요?

I'm lost.

Je suis perdu(e). [제 스이 페흐뒤]

길을 잃었어요.

Where is the nearest ….?

Où se trouve le/la plus proche…?

[우 쎄 트호베 르/라 쁠 포쉬...]

가장 가까운 ~가 어디 있나요?

How can I get to ... ?

Comment puis-je aller à...?

[꼬몽 퓌제 알레 아...]

어떻게 ~에 가나요?

How can I get there by foot?

Comment puis-je y aller à pied?

[꼬몽 프제이 알레 아 피]

거기는 걸어서 어떻게 가죠?

Is it walking distance?

Est-ce que c'est à distance de marche?

[에스끄 쎄 아 디스텅스 드 마쉬]

걸을 만한가요?

How far is it to the next tram stop?

Quelle est la distance jusqu'à l'arrêt de tramway le plus proche?

[켈 에 라 디스텅스 주스께 라헷 드 트람웨 르 플 포쉬]

다음 트램 정류장까지 얼마나 멀죠?

What time does the next bus depart?

À quelle heure part le prochain bus?

[아 껠르어 파흐 르 포샹 부스]

다음 버스는 몇 시에 출발해요?

Where does this bus go?

Où va ce bus?

[우 바 세 부스]

이 버스는 어디로 가죠?

When will we arrive at ...?

Quand arriverons-nous à...?

[꽌 아히봉 누 아...]

언제 ~에 도착하나요?

Does this bus/ train stop at ...?

Est-ce que ce bus/ train s'arrête à ..?

[에스끄 세 부스/ 트항 사헤 타...]

이 버스 / 기차 ~에 멈추나요?

Where do I have to get off?

Où dois-je descendre?

[우 드와즈 데성드]

어디서 내려야 해요?

Do I have to transfer?

Est-ce que je dois changer?

[에스끄 제 드와 샹제]

갈아타야 하나요?

Could you tell me where I have to get off?

Pourriez-vous me dire où je dois descendre?

[푸헤부 메 디어 우 제 드와 데상드]

어디서 내려야하는지 알려주실 수 있으세요?

Where can I buy a ticket?

Où puis-je acheter un billet?

[우 프뤼 제쉬테 운 빌옛]

어디서 표를 살 수 있나요?

How much does one way / round-trip ticket cost?

Combien coûte un aller simple / aller-retour?

[꼼비엔 쿳ㅌ 운 알레 셈플 / 알레 히투어]

편도/왕복 표 얼마예요?

Do I have to book a seat?

Est-ce que je dois réserver une place?

[에스끄 제 드와 헤서베 운 플라스]

자리를 예매해야 하나요?

Do you have a timetable?

Avez-vous un horaire?

[아베 부 운 오헤ㅎ]

시간표 있으세요?

Could you call a taxi?

Pourriez-vous appeler un taxi?

[푸예 부 아펠레 운 탁시]

택시 좀 불러줄 수 있나요?

How much does it cost to go ...?

Combien cela coûte-t-il pour aller à...?

[꼼비엔 세라 꿋 틸 포 알레 아...]

~까지 가는데 얼마입니까?

Take me to this address.

Amenez-moi à cette adresse.

[아메네 모아 아 셋 아드헤스]

이 주소로 가주세요.

How long will it take?

Combien de temps cela prendra-t-il?

[꼼비엔 드 떵 세라 프헝드라 틸]

가는데 얼마나 시간이 걸립니까?

Hurry up please!

Dépêchez-vous s'il vous plaît!

[데페세 부 실 부 플레]

서둘러 주세요.

<교통 관련단어>

교통	**trafic**	traffic	un
교통 신호	**feu de signalisation**	traffic light	un
횡단 보도	**passage piéton**	crosswalk	un
다리	**pont**	bridge	un
길	**chemin**	way	un
택시	**taxi**	taxi	un
트램	**tramway**	tram	un
버스	**bus**	bus	un
버스 정류장	**arrêt de bus**	bus stop	un
보도	**trottoir**	sidewalk	un
버스 운전사	**chauffeur de bus**	bus driver	un
승객	**passager**	passenger	un
안전 벨트	**ceinture de sécurité**	seat belt	une
자동차	**voiture**	car	une
자전거	**vélo**	bike	un
역	**station**	station	une
지하철	**métro**	subway	un
기차	**train**	train	un
기차역	**gare ferroviaire**	train station	une
시간표	**horaire**	timetable	un

왕복표	**billet aller-retour**	round-trip ticket	un
편도표	**billet aller simple**	oneway ticket	un

< 방위 >

동쪽	**est**	east
서쪽	**ouest**	west
남쪽	**sud**	south
북쪽	**nord**	north

*방위는 남성형 명사입니다.

15 관광

Where is the tourist office?

Où se trouve l'office de tourisme?

[우 세 트호ㅂ 로피스 드 투히슴]

안내 센터는 어디죠?

Any good place to visit?

Y a-t-il un bon endroit à visiter?

[이야틸 운 본 안드와 아 비지테]

가볼 만한 곳이 어디인가요?

Do you have a city map?

Avez-vous une carte de la ville?

[아베부 윈 꺄트 드 라 빌]

시내 지도 있어요?

Can you mark it on the map?

Pouvez-vous le marquer sur la carte?

[푸베 부 르 마키 쉬 라 꺄트]

지도에 표시해 줄 수 있으세요?

Could you take a photo of us?

Pourriez-vous nous prendre en photo?

[푸예 부 누 프헝드 운 포토]

저희 사진 좀 찍어주시겠어요?

Can I take photos?

Puis-je prendre des photos?

[푸제 프헝 데 포토]

사진 찍어도 되나요?

When is here open / closed?

Quand est-ce que c'est ouvert / fermé ici?

[꽌 데스끄 세 우베/페흐메 이씨]

여기는 언제 열어요? / 닫아요?

Do you have a group discount?

Avez-vous un rabais de groupe?

[아베 부 움 하베 드 그훕]

그룹 할인이 있나요?

Do you have a student discount?

Avez-vous un rabais étudiant?

[아베 부 움 하베 에투디앙]

학생 할인 있나요?

Where can I do ...?

Où puis-je faire…?

[우 퓌제 페...]

어디서 ~를 할 수 있죠?

Is there … nearby?

Y a-t-il ... à proximité?

[이 아 틸... 아 프호시미테]

주변에 ~가 있나요?

Are there guided tours?

Y a-t-il des visites guidées?

[이 야 틸 데 비싯 기데]

가이드 투어가 있나요?

How long does it take?

Combien de temps cela prend-il?

[꼼비엔 드 템 세라 프렁딜]

얼마나 걸려요?

Do we have free time?

Avons-nous du temps libre?

[아봉누 드 텅 리브ㅎ]

자유 시간 있어요?

How much free time do we have?

Combien de temps libre avons-nous?

[꼼비엔 드 텅 리브헤 아봉 누]

자유 시간 얼마나 있어요?

< 장소 관련 단어 >

교회	**église**	church	une
PC방	**cybercafé**	Internet cafe	un
경찰서	**commissariat de police**	police station	un
공원	**parc**	park	un
궁전	**palais**	palace	un
극장	**théâtre**	theater	un
대학	**université**	university	une
도서관	**bibliothèque**	library	une
동물원	**zoo**	zoo	un
레스토랑	**restaurant**	restaurant	un
미용실	**salon de beauté**	beauty salon	un
바	**bar**	bar	un
박물관	**musée**	museum	un
백화점	**grand magasin**	department store	un
병원	**hôpital**	hospital	un
빵집	**boulangerie**	bakery	une
서점	**librairie**	bookstore	une
성	**château**	castle	un
성당	**cathédrale**	cathedral	une

소방서	**caserne de pompiers**	fire station	une
수영장	**piscine**	swimming pool	une
슈퍼마켓	**supermarché**	supermarket	un
시청	**hôtel de ville**	town hall	un
신발가게	**magasin de chaussures**	shoe store	un
약국	**pharmacie**	pharmacy	une
영화관	**cinéma**	cinema	un
옷가게	**magasin de vêtements**	clothing store	un
유원지	**parc d'attractions**	amusement park	un
정육점	**boucherie**	butcher's shop	une
키오스크	**kiosque**	kiosk	un
학교	**école**	school	une
항구	**port**	port	un

<관광 관련 단어>

가이드북	**guide touristique**	guidebook	un
관광 안내소	**office de tourisme**	tourist office	un
관광객	**touriste**	tourist	un
기념품점	**boutique de souvenirs**	gift shop	une
매표소	**billetterie**	ticket office	une
분실물 사무소	**bureau des objets trouvés**	lost and found	un
사진	**photo**	photo	une
신혼 여행	**lune de miel**	honeymoon	une
안내 책자	**brochure**	brochure	une
여행	**voyage**	trip	un
예약	**réservation**	reservation	une
일정표	**itinéraire**	itinerary	un
표, 티켓	**billet**	ticket	un
입장료	**frais d'entrée**	entrance fee	un
자유 시간	**temps libre**	free time	un
지도	**carte**	map	une
차례, 줄	**file d'attente**	queue	une
출장	**voyage d'affaires**	business trip	un

공 항

16-1) 출국 시

Where is your destination?

Quelle est votre destination?

[껠 에 보트헤 데스티네숑]

어디로 가십니까?

Show me your passport, please.

Montrez-moi votre passeport, s'il vous plaît.

[몽트헤 므와 보트헤 파세폿 실 부 플레]

여권 보여주세요.

I want to confirm / cancel / change my reservation.

Je veux confirmer / annuler / changer ma réservation. [제 브 콤퓌허메 / 아뉠레 / 샹 제 마 헤서베숑]

예약을 확인/취소/변경하고 싶어요.

I booked online.

J'ai réservé en ligne. [제 헤서베 언 링느]

인터넷으로 예약했어요.

I want a window / aisle seat.

Je veux un siège près de la fenêtre /près du couloir.

[제 브 운 시에쥬 프헤 드 라 페넷트헤 / 프헤 드 꿀르와]

창가 쪽/복도 쪽 좌석 주세요.

How many suitcases are allowed?

Combien de sacs sont autorisés?

[꼼비엔 드 샥 송 오토히세]

수화물 몇 개까지 허용돼요?

Which gate should I go to?

À quel portail dois-je me rendre?

[아 껠 포ㅎ탈 드와 즈 메 헹드ㅎ]

몇 번 게이트인가요?

Until what time can I check-in?

**Jusqu'à quelle heure puis-je
m'enregistrer?**

[주스꽈 껠뢰흐 프쥐 메헤지스테]

몇 시까지 체크인해야 하나요?

The departure is delayed.

Le départ est retardé.

[르 디파 에 흐타드데]

출발이 지연되었습니다.

The flight was canceled.

Le vol a été annulé.

[리 볼 아 에테 아눌레]

비행기가 취소되었습니다.

Fasten your seatbelt!

Attachez votre ceinture!

[아테세 보트ㅎ 센튀ㅎ]

안전벨트를 착용해 주십시오.

Return to your seat!

Retournez à votre siège.

[흐토흐네 아 보트헤 시에쥐]

자리로 돌아가 주십시오.

I want something to drink.

Je veux quelque chose à boire.

[제 브 껠끄 쇼스 아 브와]

마실 것 좀 주세요.

Is this seat taken?

Est-ce que ce siège est occupé?

[에스끄 세 시애지 에 오쿠페]

이 자리 사람 있나요?

Turn off your cellphone!

Éteignez votre téléphone portable!

[에테네 보트헤 텔레폰 포타블]

휴대전화를 꺼주세요.

16-2) 입국 시

What is the purpose of your visit?

Quel est le motif de votre visite?

[껠 에 르 모티프 드 보트헤 비짓]

여행 목적은 무엇입니까?

I am on a business trip.

Je suis en voyage d'affaires.

[제 스이 엔 보야지 다페에]

출장 중입니다.

I'm here on vacation.

Je suis ici en vacances.

[제 스이 이시 엥 베캉스]

여기 휴가로 왔어요.

I'm here with a tourist group.

Je suis ici avec un groupe de touristes.

[제 스이 이시 아벡 운 그훕 드 투리스]

단체 여행으로 왔습니다.

I'm visiting families.

Je rends visite à ma famille.

[제 헹드 비시테 아 마 파밀리]

가족을 만나러 왔습니다.

Where will you be staying?

Où allez-vous séjourner?

[우 알레 부 세조흐네]

어디에서 지내실 겁니까?

How long are you going to be here?

Combien de temps allez-vous rester ici?

[꼼비엔 드 텡 알라부 헤스터 이씨]

얼마 동안 머물 예정입니까?

For a couple of days.

(Je serai ici) pendant quelques jours.

[즈 세하이 이씨 펑뎅 껠끄 주]

며칠간만요.

I am here for three weeks.

Je suis ici pour trois semaines.

[제 스 이씨 포 트와 세멘]

3주 동안 있을 겁니다.

Do you have anything to declare?

Avez-vous quelque chose à déclarer?

[아베 부 켈끄 쇼스 아 데클라헤]

신고할 것 있으십니까?

I have nothing to declare.

Je n'ai rien à déclarer.

[제 나 히앙 아 데클라헤]

신고할 것 없습니다.

Where can I get my luggage?

Où puis-je récupérer mes bagages?

[우 프뤼제 헤쿠페헤 메 바가쥐]

어디서 가방을 찾나요?

My luggage has disappeared.

Mes bagages ont disparu.

[메 바가쥐 옹 디스파후]

제 가방이 없어졌습니다.

I can't find my luggage.

Je ne trouve pas mes bagages.

[제 느 트롭 파 메 바가쥐]

제 가방을 찾을 수가 없어요.

How can I get to downtown from the airport?

Comment puis-je me rendre au centre-ville depuis l'aéroport?

[꼬몽 프뤼제 메 헝드헤 우 센트헤 빌 드퓌 라에오폿]

공항에서 시내에 가려면 어떻게 해야 하나요?

Is there a bus that goes to the cityhall?

Y a-t-il un bus qui va à l'hôtel de ville?

[일야 틸 웅 부스 끼 바 아 로텔 드 빌]

시청으로 가는 버스가 있나요?

Is there a train that departs from the airport?

Y a-t-il un train qui part de l'aéroport?

[일 야 틸 운 트랑 끼 파드 드 라에오뽀]

공항에서 출발하는 기차가 있나요?

문법 맛보기

프랑스어의 대표적인 불규칙 동사를 공부해 봅시다. 자주 쓰이는 불규칙 동사에는 être (이다), avoir(가지다), aller (가다), vouloir (원하다), faire (하다/만들다)가 있습니다.

	Être	Avoir	Aller	Vouloir	Faire
Je	suis	ai (J'ai)	vais	veux	fais
Tu	es	as	vas	veux	fais
Il/Elle	est	a	va	veut	fait
Nous	sommes	avons	allons	voulons	faisons
Vous	êtes	avez	allez	voulez	faites
Ils/Elles	sont	ont	vont	veulent	font

\<공항 관련 단어\>

공항	**aéroport**	airport	un
국내선	**vol intérieur**	domestic flight	un
국적	**nationalité**	nationality	une
국제선	**vol international**	international flight	un
기내 수하물	**bagage à main**	hand luggage	un
면세점	**magasin hors taxes**	duty free shop	un
비행기	**avion**	airplane	un
비행기 표	**billet d'avion**	plane ticket	un
사증, 비자	**visa**	visa	un
세관	**douanes**	customs	une
세금	**taxe**	tax	une
스탑 오버	**escale**	stopover	une
여권	**passeport**	passport	un
외국	**pays étranger**	foreign country	un
위탁 수하물	**bagage enregistré**	checked in bagage	un
항공사	**compagnie aérienne**	airline	une
항공편	**vol**	flight	un
항공편 번호	**numéro de vol**	flight number	un

17

쇼 핑

Where can I buy …?

Où puis-je acheter...?

[우 퓌 자쉬테...]

어느 곳에서 ~ 살 수 있죠?

When do you open?

Quand ouvrez-vous? [꽝 우베 부]

(이 가게는) 언제 열어요?

How can I help you?

Comment puis-je vous aider?

[꼬몽 퓌제 부 에데]

무엇을 도와드릴까요?

No thank you, I'm just looking around.

Non merci, je regarde juste.

[농 멕시 제 히가흐데 주스트]

괜찮아요, 그냥 보는 거예요.

I am looking for...

Je cherche...   [주 섹쉬...]

~ 찾고 있는데요.

Do you sell...?

Vendez-vous...?   [반데 부...]

~ 파나요?

Can I try it on?

Puis-je l'essayer? [푸제 레세에]

입어 봐도 되나요?

Do you have bigger / smaller size?

Avez-vous une taille plus grande / plus petite?

[아베 부 운 탈리 플뤼 그항데 / 플뤼 쁘띠]

큰/작은 사이즈는 없나요?

Don't you have anything cheaper?

N'avez-vous rien de moins cher?

[나베부 히엥 드 므와 셰]

싼 것은 없나요?

How much does this cost?

Combien coûte cela?

[꼼비엔 꿋 세라]

이것은 얼마예요?

Do you need anything else?

Avez-vous besoin de quelque chose d'autre?

[아베부 부스완 데 껠끄 쇼스 도트]

또 필요한 것은 없으세요?

No, thank you. Nothing else.

Non merci. Rien d'autre.

[농 메시 히엔 돗]

네 다른 것은 필요 없어요.

How much is it in total?

Combien ça coûte en tout?

[꼼비엔 쌰 꾸텅 톳]

모두 얼마죠?

It's inexpensive / expensive.

C'est bon marché / cher.

[쎄 봉 막쉬 / 세허]

싸네요. / 비싸네요.

Can you lower the price?

Pouvez-vous baisser le prix?

[푸베 부 베세 르 프히]

깎아 주실 수 있으세요?

Do you accept credit cards?

Acceptez-vous les cartes de crédit?

[아셉테부 레 카르테 드 크헤딧]

신용카드로 계산되나요?

Can I get a receipt?

Puis-je avoir un reçu? [퓌 제보아 언 헤슈]

영수증 좀 주실래요?

Can I have a plastic bag?

Puis-je avoir un sac en plastique?

[퓌 제보아 운 삭 엔 플라스틱]

봉지 좀 주실래요?

This is broken.

C'est cassé.　　[쎄 까쎄]

이거 망가졌어요.

This is damaged.

C'est endommagé. [쎄 텅도메제]

이거 손상이 있어요.

I'd like to exchange this.

Je voudrais échanger ceci.

[제 부드헤 에샤제 세시]

바꿔주세요.

문법 맛보기

조동사는 능력, 필요성, 허가 등과 같은 개념을 표현하는 데 사용됩니다. 조동사 다음 주동사의 원형이 옵니다. 주요 조동사로는 Pouvoir (할 수 있다/할 줄 알다), Vouloir (원하다), Devoir (해야 한다), Savoir (하는 법을 알다)가 있습니다.

	Pouvoir	Vouloir	Devoir	Savoir
Je	peux	veux	dois	sais
Tu	peux	veux	dois	sais
Il/Elle	peut	veut	doit	sait
Nous	pouvons	voulons	devons	savons
Vous	pouvez	voulez	devez	savez
Ils/Elles	peuvent	veulent	doivent	savent

Pouvoir: Je peux t'aider. (제가 도와줄 수 있어요.)

Vouloir: Je veux un café. (나는 커피를 원해요.)

Devoir: Tu dois finir tes devoirs. (넌 숙제를 끝내야 해.)

Savoir: Elle sait conduire. (그녀는 운전을 할 줄 알아요.)

< 쇼핑 관련 단어 >

계산원	**caissier / caissière**	cashier	un/une
비용	**coût**	cost	un
사이즈	**taille**	size	une
상점	**magasin**	store	un
선물	**cadeau**	gift	un
세일	**soldes**	sale	des
손님	**client / cliente**	customer	un/une
상점가	**rue commerçante**	shopping street	une
쇼핑몰	**centre commercial**	shopping center	un
영수증	**reçu**	receipt	un
영업 시간	**heure d'ouverture**	opening hour	une
입구	**entrée**	entrance	une
점원	**commis / commise**	clerk	un/une
출구	**sortie**	exit	une
패션	**mode**	fashion	une
품절	**épuisé**	sold out	un
품질	**qualité**	quality	une
탈의실	**cabine d'essayage**	dressing room	une
환불	**remboursement**	refund	un

< 옷, 패션 관련 단어 >

넥타이	**cravate**	tie	une
모자	**chapeau**	hat	un
바지	**pantalon**	pants	un
벨트	**ceinture**	belt	une
블라우스	**blouse**	blouse	une
우비	**imperméable**	raincoat	un
셔츠	**chemise**	shirt	une
속옷	**sous-vêtements**	underwear	des
손수건	**mouchoir**	handkerchief	un
수영복	**maillot de bain**	swimsuit	un
스카프	**châle**	shawl	un
스커트	**jupe**	skirt	une
신발	**chaussures**	shoes	des
양말	**chaussettes**	socks	des
장갑	**gants**	gloves	des
재킷	**veste**	jacket	une
청바지	**jean**	jeans	un
코트	**manteau**	coat	un
가디건	**cardigan**	cardigan	un

< 치장, 미용 관련 단어 >

한글	프랑스어	영어	
핸드백	**sac à main**	handbag	un
귀걸이	**boucle d'oreille**	earring	une
지갑	**portefeuille**	wallet	un
동전 지갑	**porte-monnaie**	coin wallet	un
립스틱	**rouge à lèvres**	lipstick	un
빗	**peigne**	comb	un
선글라스	**lunettes de soleil**	sunglasses	des
마사지	**massage**	massage	un
매니큐어 액	**vernis à ongles**	nail polish	un
손목시계	**montre-bracelet**	wristwatch	une
아이라이너	**eye-liner**	eyeliner	un
선 블록	**crème solaire**	sunscreen	une
향수	**parfum**	perfume	un
데오드란트	**déodorant**	deodorant	un
아이섀도	**fard à paupières**	eye shadow	un
화장	**maquillage**	makeup	un
안경	**lunettes**	glasses	des
팔찌	**bracelet**	bracelet	un
목걸이	**collier**	necklace	un

< 색 >

빨강색	**rouge**	red
분홍색	**rose**	pink
주황색	**orange**	orange
노란색	**jaune**	yellow
녹색	**vert**	green
파랑색	**bleu**	blue
보라색	**violet**	purple
갈색	**marron**	brown
회색	**gris**	gray
검은색	**noir**	black
흰색	**blanc**	white

18

숙 박

Do you have rooms available?

Avez-vous des chambres disponibles?

[아베 부 데 샹브헤 디스포니블]

빈 방 있습니까?

Do you have a single / double room?

Avez-vous une chambre simple / double?

[아베부 웅 샹브헤 심플 / 두블]

싱글/더블룸 있나요?

I will stay one night. /3 nights.

Je vais rester une nuit / trois nuits.

[주 베 헤스테 운 느위 / 트와 느윗]

1 박 / 3 박 묵겠습니다.

I have a room booked under the name of ...

J'ai réservé une chambre au nom de...

[제 헤세베 운 샴브헤 우 놈 데...]

~란 이름으로 예약했습니다.

How much is it per night?

Combien ça coûte par nuit?

[꼼비엔 쌰 꿋 파 느위]

하룻밤에 얼마예요?

Does the price include breakfast?

Le prix comprend-il le petit-déjeuner?

[루 푸히 꼼쁘헝틸 르 쁘띠 데쥬네]

아침 포함된 가격인가요?

What time is breakfast?

À quelle heure est le petit-déjeuner?

[아 껠 우어 에 르 쁘티 데쥬네]

몇 시에 아침인가요?

I want a room with a bathroom.

Je veux une chambre avec une salle de bains.

[제 브 윈 샹브헤 아벡 운 살 드 방]

화장실 딸린 방으로 주세요.

How long are you planning to stay?

Combien de temps prévoyez-vous de rester?

[꼼비엥 드 텡 프헤보에 부 드 헤스테]

얼마 동안 머물 예정이십니까?

You need to pay in advance.

Vous devez payer d'avance.

[부 드베 페예 다방]

미리 지불하셔야 합니다.

Where can I use the Internet?

Où puis-je utiliser Internet?

[우 퓌 제 우틸리세 엥테흐넷]

어디서 인터넷을 쓸 수 있죠?

Is there a free wifi available here?

Y a-t-il du wifi gratuit ici?

[이 야 틸 두 위피 그하튀 이씨]

무료 와이파이가 있나요?

What is the wifi password?

Quel est le mot de passe wifi?

[껠 에 르 못 드 파쎄 위피]

와이파이 비밀번호가 무엇인가요?

Could you give me my room key?

The room number is….

Pourriez-vous me donner ma clé de chambre? Le numéro de chambre est...

[푸예 부 메 돈네 마 클레 드 샹브흐
르 누메호 드 샹브헤...]

방 열쇠를 줄 수 있나요? 방 번호는~입니다.

The room is too noisy.

La chambre est trop bruyante.

[라 샹브헤 에 트호 브휘양]

방에 소음이 심해요.

The toilet is clogged.

Les toilettes sont bouchées.

[레 트와렛 송 부셰]

화장실이 막혔어요.

The heater does not work.

Le chauffage ne fonctionne pas.

[레 쇼파주 느 폰시온느 파]

히터가 고장 났어요.

I left my key in the room.

J'ai laissé ma clé dans la chambre.

[자 레세 마 클레 당 라 샹브흐]

방에 열쇠를 두고 나왔어요.

The room has not been cleaned.

La chambre n'a pas été nettoyée.

[라 샹브헤 네 파 제테 네토예]

방이 치워지지 않았어요.

The lights are off.

Les lumières sont éteinte.

[레 루미에 송 에텅트]

불이 나갔어요.

The TV is out of order.

La télévision est en panne.

[라 테레비시옹 에 텅 판]

TV 가 고장 났어요.

Can you give me an extra blanket?

Pouvez-vous me donner une couverture supplémentaire?

[푸베 부 메 돈네 운 쿠벡튀 수프뤼멍테]

이불 하나만 더 주세요.

Could you store my luggage?

Pourriez-vous stocker mes bagages?

[푸예 부 스토케 메 바가쥐]

짐 좀 맡아 주시겠어요?

I would like to check out.

Je voudrais faire le check-out.

[제 부드헤 페흐 르 섹캬웃]

체크아웃 하고자 합니다.

< 숙박, 건물 관련 단어 >

건물	**bâtiment**	building	un
더블룸	**chambre double**	double room	une
룸 서비스	**service en chambre**	room service	un
방	**chambre**	room	une
싱글룸	**chambre simple**	single room	une
아파트	**appartement**	apartment	un
엘리베이터	**ascenseur**	elevator	un
집	**maison**	house	une
층	**étage**	floor	un
포터	**portier**	porter	un
프론트	**réception**	reception	une
유스호스텔	**auberge de jeunesse**	hostel	une
호텔	**hôtel**	hotel	un

<방 안, 사물 관련 단어>

거실	**salon**	living room	un
거울	**miroir**	mirror	un
냉장고	**réfrigérateur**	refrigerator	un
헤어 드라이어	**sèche-cheveux**	hair dryer	un
램프	**lampe**	lamp	une
문	**porte**	door	une
발코니	**balcon**	balcony	un
베개	**oreiller**	pillow	un
부엌	**cuisine**	kitchen	une
비누	**savon**	soap	un
사우나	**sauna**	sauna	un
샤워기	**douche**	shower	une
샴푸	**shampooing**	shampoo	un
세탁기	**machine à laver**	washing machine	une
소파	**canapé**	couch	un
수건	**serviette**	towel	une
열쇠	**clé**	key	une
오븐	**four**	oven	un
욕실	**salle de bain**	bathroom	une

욕조	**baignoire**	bathtub	une
의자	**chaise**	chair	une
이불	**couette**	comforter	une
장롱	**armoire**	wardrobe	une
창	**fenêtre**	window	une
치약	**dentifrice**	toothpaste	un
침대	**lit**	bed	un
침실	**chambre**	bedroom	une
칫솔	**brosse à dents**	toothbrush	une
커튼	**rideau**	curtain	un
테이블	**table**	table	une
텔레비전	**télévision**	TV	une
화장실	**toilette**	toilet	une

<문구 관련 단어>

가위	**ciseaux**	scissor	des
볼펜	**stylo à bille**	ballpoint pen	un
봉투	**enveloppe**	envelope	une
사전	**dictionnaire**	dictionary	un
테이프	**ruban adhésif**	tape	un
신문	**journal**	newspaper	un
펜	**stylo**	pen	un
잡지	**magazine**	journal	un
접착제	**colle**	glue	une
지우개	**gomme**	eraser	une
종이	**papier**	paper	un
책	**livre**	book	un
연필	**crayon**	pencil	un

19

식 당

I'd like to book a table.

Je voudrais réserver une table.

[즈 브드헤 헤세베 윈 따블]

자리 예약하고 싶습니다.

For how many (people)?

Combien de personnes? [꼼비엔 드 페흐손]

몇 분이시죠?

A table for two people, please.

Une table pour deux personnes, s'il vous plaît. [윈 타블 포 두 페흐손 실 부 플레]

2 명 자리 부탁해요.

Do you have any available tables?

Avez-vous une table libre?

[아베 부 윈 타블 리브흐]

자리 있나요?

Could you wait a moment?

Pouvez-vous attendre un moment?

[푸베 부 아텡드흐 운 모멘]

좀 기다려 주시겠습니까?

How long do I have to wait?

Combien de temps dois-je attendre?

[꼼비엔 드 텡 드와제 아텡드]

얼마나 기다려야 하나요?

Can I sit here?

Puis-je m'asseoir ici?

[푸 제 마스와 이씨]

여기 앉아도 돼요?

I'm hungry.

J'ai faim.　　　[제 팜]

배가 고파요.

I'm thirsty.

J'ai soif.　[제 스왑]

목이 마릅니다.

Can I see the menu?

Puis-je voir le menu? [퓌 제 브와 르 메누]

메뉴 좀 주세요.

What kind of food is this?

Quel genre de nourriture est-ce?

[껠 정 드 누헤투 에 쎄]

이 음식은 무엇인가요?

What would you like to order?

Que voulez-vous commander?

[께 부 레 부 꼬멘데]

무엇을 주문하시겠습니까?

I have not decided yet.

Je n'ai pas encore décidé.

[제 네 파 엥코헤 데시데]

아직 결정을 못 했어요.

What would you recommend?

Qu'est-ce que vous recommandez?

[께스끄 부 헤코멘데]

무엇을 추천하시나요?

Can I get this without...?

Puis-je avoir ceci sans...?

[쀠 제 아보아 세씨 샹...]

이 음식에서 ~ 빼주실 수 있으세요?

I cannot eat pork.

Je ne peux pas manger de porc.

[제 느 프 파 망제 드 포]

돼지 고기를 못 먹어요.

This is not what I ordered.

Ce n'est pas ce que j'ai commandé.

[쎄 느 빠 쎄 꼐 자 코멘데]

이것은 제가 시킨 것이 아니에요.

Enjoy your meal!

Bon appétit!

[본 아페티]

맛있게 드세요.

This tastes good.

C'est délicieux.

[쎄 데리시우]

이거 맛있네요.

Bill please.

L'addition s'il vous plaît. [레디시옹 실부플레]
계산서를 주세요.

문법 맛보기

불어의 지시 대명사는 다음과 같습니다.

종류	단수형	복수형
남성	celui (그것, 그 사람)	ceux (그것들, 그 사람들)
여성	celle (그것, 그 사람)	celles (그것들, 그 사람들)

중성으로 ceci(이것), cela(저것) 및 이들을 대체하는 ça도 구어
체어서 많이 사용됩니다.

Regarde **ceci**. (이것을 봐.)

Cela me plaît. (저것이 마음에 듭니다.)

Qu'est-ce que c'est que **ça**? (그것이 무엇인가요?)

참고로 지시 형용사는 다음과 같습니다.

남성 단수	여성 단수	복수
ce	cette	ces

이 뒤에 -ci (여기) 또는 -là (저기)를 붙여 구체화합니다.

이 책: ce livre-**ci** / 저 책: ce livre-**là**

이 집: cette maison-**ci** / 저 집: cette maison-**là**

이 아이들: ces enfants-**ci** / 저 아이들: ces enfants-**là**

< 식당 관련 단어 >

계산서	**addition**	bill	une
나이프	**couteau**	knife	un
냅킨	**serviette**	napkin	une
레모네이드	**limonade**	lemonade	une
맥주	**bière**	beer	une
메뉴	**menu**	menu	un
메인 코스	**plat principal**	main course	un
물	**eau**	water	une
바비큐	**barbecue**	barbecue	un
버터	**beurre**	butter	un
빵	**pain**	bread	un
샐러드	**salade**	salad	une
설탕	**sucre**	sugar	un
소금	**sel**	salt	un
소스	**sauce**	sauce	une
수프	**soupe**	soup	une
스테이크	**steak**	steak	un
스푼	**cuillère**	spoon	une
아이스크림	**glace**	ice cream	une
애피타이저	**entrée**	starter	une

오믈렛	**omelette**	omelette	une
와인	**vin**	wine	un
요구르트	**yaourt**	yoghurt	un
우유	**lait**	milk	un
웨이터	**serveur**	waiter	un
으깬 감자	**purée de pommes de terre**	mashed potatoes	une
잼	**confiture**	jam	une
주스	**jus**	juice	un
차	**thé**	tea	un
초콜릿	**chocolat**	chocolate	un
커피	**café**	coffee	un
컵	**tasse**	cup	une
케이크	**gâteau**	cake	un
팬케이크	**crêpe**	pancake	une
포크	**fourchette**	fork	une
피자	**pizza**	pizza	une
후식	**dessert**	dessert	un
후추	**poivre**	pepper	un

< 식품 관련 단어 >

게	**crabe**	crab	un
감자	**pomme de terre**	potato	une
고기	**viande**	meat	une
과일	**fruit**	fruit	un
달걀	**œuf**	egg	un
닭고기	**poulet**	chicken meat	un
당근	**carotte**	carrot	une
대구	**morue**	cod	une
돼지고기	**porc**	pork	un
딸기	**fraise**	strawberry	une
레몬	**citron**	lemon	un
마늘	**ail**	garlic	un
멜론	**melon**	melon	un
바나나	**banane**	banana	une
배	**poire**	pear	une
버섯	**champignon**	mushroom	un
복숭아	**pêche**	peach	une
블루 베리	**myrtille**	blueberry	une
사과	**pomme**	apple	une

새우	crevette	shrimp	une
생선	poisson	fish	un
소고기	bœuf	beef	un
소세지	saucisse	sausage	une
송어	truite	trout	une
수박	pastèque	watermelon	une
순록고기	viande de renne	reindeer meat	une
쌀	riz	rice	un
양고기	agneau	lamb	un
양배추	chou	cabbage	un
양파	oignon	onion	un
연어	saumon	salmon	un
오렌지	orange	orange	une
오리고기	viande de canard	duck meat	un
오이	concombre	cucumber	un
올리브	olives	olives	des
완두콩	petit pois	pea	un
참치	thon	tuna	un
채소	légumes	vegetables	des
청어	hareng	herring	un
치즈	fromage	cheese	un

콩	**haricot**	bean	un
토마토	**tomate**	tomato	une
파인애플	**ananas**	pineapple	un
포도	**raisin**	grape	un
햄	**jambon**	ham	un

20

병 원

What seems to be the matter?

Qu'est-ce qui vous amène?

[께스끄 퀴 부 자멘]

상태가 어떠세요?

It hurts.

Ça fait mal.　[싸 페 말]

아파요.

I'm injured.

Je suis blessé(e).　[즈 스위 블레세]

다쳤어요.

I feel sick.

Je me sens malade.   [제 므 상 마라드]

몸이 안 좋아요.

I don't feel good.

Je ne me sens pas bien.

[제 느 므 상 파 비엔]

기분이 좋지 않습니다.

I have the flu.

J'ai la grippe.   [재 라 그힙]

독감에 걸렸어요.

I have a cold.

J'ai un rhume.   [재 엉 휨]

감기에 걸렸어요.

I'm tired.

Je suis fatigué(e).

[제 스이 파티게]

피곤해요.

I'm allergic to ....

Je suis allergique à...

[제 스이 잘ㅎ레직 아...]

~에 알레르가가 있어요.

I have pain in …

J'ai mal à...

[재 말 아...]

~가 아파요.

I have a cough / runny nose / fever / chills.

J'ai une toux / le nez qui coule / de la fièvre / des frissons. [재 운 투 / 르 네 퀴 쿨 / 드 라 피에브 / 데 프히송]

기침/콧물/열/오한 있어요.

I have diarrhea.

J'ai la diarrhée. [재 라 디아히]

설사해요.

I have a headache / stomachache / toothache.

J'ai mal à la tête / au ventre / aux dents. [재 말 아 라 텟 / 우 벙트흐 / 우 뎅트]

두통/복통/치통이 있어요.

I have a sore throat.

J'ai mal à la gorge.

[자 말 아 라 고흐쥐]

목이 부었어요.

I feel dizzy.

J'ai la tête qui tourne.

[자이 라 텟 퀴 토흔]

어지러워요.

My nose is blocked.

Mon nez est bouché.

[몽 네 에 부셰]

코가 막혔어요.

< 신체 관련 단어 >

가슴	**sein**	breast	un
귀	**oreille**	ear	une
눈	**œil**	eye	un
뼈	**os**	bone	un
등	**dos**	back	un
머리	**tête**	head	une
머리카락	**cheveux**	hair	des
목	**gorge / cou**	throat / neck	une / un
무릎	**genou**	knee	un
발	**pied**	foot	un
발가락	**orteil**	toe	un
발목	**cheville**	ankle	une
배	**estomac**	stomach	un
배꼽	**nombril**	bellybutton	un
뺨	**joue**	cheek	une
손	**main**	hand	une
손가락	**doigt**	finger	un
손목	**poignet**	wrist	un
신체	**corps**	body	un

어깨	**épaule**	shoulder	une
얼굴	**visage**	face	un
이마	**front**	forehead	un
입	**bouche**	mouth	une
치아	**dents**	teeth	des
코	**nez**	nose	un
턱	**menton**	chin	un
팔	**bras**	arm	un
팔꿈치	**coude**	elbow	un
피부	**peau**	skin	une
허벅지	**cuisse**	thigh	une

Help!

Au secours!   [오 세쿠]

도와줘요!

Be careful!

Faites attention!

[페허 텅시옹]

조심해!

Fire!

Au feu! [오 프]

불이야!

Stop!

Arrêtez! [아헤테]

멈춰요!

Quickly!

Vite! [빗]

빨리요!

Police!

Police! [폴리ㅅ]

경찰!

Call an ambulance!

Appelez une ambulance!

[아페레 렁부란ㅅ]

구급차를 불러주세요.

I forgot ...

J'ai oublié...

[재 오브리예...]

~을 잊어버렸어요.

I lost my ...

J'ai perdu mon...

[재 페흐두 몽...]

~을 잃어버렸어요.

Did you find my ...?

Avez-vous trouvé mon...?

[아베 부 트호베 몽...?]

내 ~을 찾았나요?

My ... has been stolen.

Mon ... a été volé.

[몽... 아 에테 보레]

내 ~가 도둑 맞았어요.

Call the police!

Appelez la police!

[아펠레 라 포리ㅅ]

경찰을 불러주세요.

I'm innocent.

Je suis innocent(e).

[제 스이 지노성]

나는 무죄입니다.

I want a lawyer.

Je veux un avocat. [제 브 언 아보캇]

변호사를 원합니다.

문법 맛보기

불어의 소유대명사와 소유 형용사는 아래와 같습니다.

소유대명사	남성 단수	여성 단수	복수
나의 것	le mien	la mienne	男 les miens / 女 les miennes
너의 것	le tien	la tienne	男 les tíens / 女 les tiennes
그(녀)의 것	le sien	la sienne	男 les siens / 女 les siennes
우리의 것	le nôtre	la nôtre	les nôtres
당신(들)것	le vôtre	la vôtre	les vôtres
그들의 것	le leur	la leur	les leurs

소유형용사	남성 단수	여성 단수	복수
나의	mon	ma	mes
너의	ton	ta	tes
그(녀)의, 그것의	son	sa	ses
우리의	notre	notre	nos
당신들의	votre	votre	vos
그들의	leur	leur	leurs

부록: 단어 색인

account	계좌	un	compte
address	주소	une	adresse
adult	어른	un/une	adulte
air mail	항공우편	un	courrier aérien
airline	항공사	une	compagnie aérienne
airplane	비행기	un	avion
airport	공항	un	aéroport
America	미국	l'	Amérique
amusement park	유원지	un	parc d'attractions
ankle	발목	une	cheville
apartment	아파트	un	appartement
apple	사과	une	pomme
April	4 월	_	avril
arm	팔	un	bras
ATM	현금자동인출기	un	distributeur automatique
August	8 월	_	août
aunt	이모, 고모	une	tante
autumn	가을	_	automne
back	등	un	dos
bakery	빵집	une	boulangerie

balcony	발코니	un	balcon
ballpoint pen	볼펜	un	stylo à bille
banana	바나나	une	banane
bank	은행	une	banque
bar	바	un	bar
barbecue	바비큐	un	barbecue
bathroom	욕실	une	salle de bain
bathtub	욕조	une	baignoire
battery	배터리	une	batterie
bean	콩	un	haricot
beauty salon	미용실	un	salon de beauté
bed	침대	un	lit
bedroom	침실	une	chambre
beef	소고기	un	bœuf
beer	맥주	une	bière
bellybutton	배꼽	un	nombril
belt	벨트	une	ceinture
bike	자전거	un	vélo
bill	계산서	une	addition
black	검은색	_	noir
blouse	블라우스	une	blouse
blue	파랑색	_	bleu
blueberry	블루 베리	une	myrtille

body	신체	un	corps
bone	뼈	un	os
book	책	un	livre
bookstore	서점	une	librairie
boy	소년	un	garçon
boyfriend	남자 친구	un	petit ami
bracelet	팔찌	un	bracelet
bread	빵	un	pain
breast	가슴	un	sein
bridge	다리	un	pont
brochure	안내 책자	une	brochure
brother	형제	un	frère
brown	갈색	_	marron
building	건물	un	bâtiment
bus	버스	un	bus
bus driver	버스 운전사	un	chauffeur de bus
bus stop	버스 정류장	un	arrêt de bus
business trip	출장	un	voyage d'affaires
butcher's shop	정육점	une	boucherie
butter	버터	un	beurre
cabbage	양배추	un	chou
cake	케이크	un	gâteau
camera	카메라	un	appareil photo

car	자동차	une	voiture
cardigan	가디건	un	cardigan
carrot	당근	une	carotte
cash	현금	des	espèces
cashier	계산원	un/une	caissier / caissière
castle	성	un	château
cathedral	성당	une	cathédrale
chair	의자	une	chaise
charger	충전기	un	chargeur
checked in bagage	위탁 수하물	un	bagage enregistré
cheek	뺨	une	joue
cheese	치즈	un	fromage
chicken meat	닭고기	un	poulet
children	어린이	des	enfants
chin	턱	un	menton
China	중국	la	Chine
Chinese	중국어	le	chinois
chocolate	초콜릿	un	chocolat
church	교회	une	église
cinema	영화관	un	cinéma
clerk	점원	un/une	commis / commise
climate	기후	un	climat

clothing store	옷가게	un	magasin de vêtements
cloud	구름	un	nuage
coat	코트	un	manteau
cod	대구	une	morue
coffee	커피	un	café
coin	동전	une	pièce de monnaie
coin wallet	동전 지갑	un	porte-monnaie
colleague	동료	un/une	collègue
comb	빗	un	peigne
comforter	이불	une	couette
computer	컴퓨터	un	ordinateur
cost	비용	un	coût
couch	소파	un	canapé
couple	부부	un	couple
cousin	사촌	un/une	cousin/cousine
crab	게	un	crabe
credit card	신용 카드	une	carte de crédit
crosswalk	횡단 보도	un	passage piéton
cucumber	오이	un	concombre
cup	컵	une	tasse
currency exchange	환전	un	change de devises
curtain	커튼	un	rideau

customer	손님	un/une	client / cliente
customs	세관	une	douanes
Danish	덴마크어	le	danois
Danmark	덴마크	le	Danemark
daughter	딸	une	fille
day	날	un	jour
December	12 월	_	décembre
degree	온도	un	degré
deodorant	데오드란트	un	déodorant
department store	백화점	un	grand magasin
deposit	예금	un	dépôt
dessert	후식	un	dessert
dictionary	사전	un	dictionnaire
dollar	달러	un	dollar
domestic flight	국내선	un	vol intérieur
domestic mail	국내우편	un	courrier national
door	문	une	porte
double room	더블룸	une	chambre double
dressing room	탈의실	une	cabine d'essayage
duck meat	오리고기	un	canard
Dutch	네덜란드어	le	néerlandais
duty free shop	면세점	un	magasin hors taxes

ear	귀	une	oreille
earring	귀걸이	une	boucle d'oreille
east	동쪽	_	est
egg	달걀	un	œuf
elbow	팔꿈치	un	coude
electricity	전기	l'	électricité
elevator	엘리베이터	un	ascenseur
e-mail	이메일	un	courriel
England	영국	l'	Angleterre
English	영어	l'	anglais
entrance	입구	une	entrée
entrance fee	입장료	un	frais d'entrée
envelope	봉투	une	enveloppe
eraser	지우개	une	gomme
Euro	유로	un	euro
exchange rate	환율	un	taux de change
exit	출구	une	sortie
eye	눈	un	œil
eye shadow	아이섀도	un	fard à paupières
eyeliner	아이라이너	un	eye-liner
face	얼굴	un	visage
family	가족	une	famille
fashion	패션	une	mode

father	아버지	un	père
February	2 월	_	février
finger	손가락	un	doigt
Finland	핀란드	la	Finlande
Finnish	핀란드어	le	finnois
fire station	소방서	une	caserne de pompiers
fish	생선	un	poisson
flight	항공편	un	vol
flight number	항공편 번호	un	numéro de vol
flood	홍수	une	inondation
floor	층	un	étage
fog	안개	un	brouillard
foot	발	un	pied
forehead	이마	un	front
foreign country	외국	un	pays étranger
fork	포크	une	fourchette
France	프랑스	la	France
free time	자유 시간	un	temps libre
French	프랑스어	le	français
Friday	금요일	_	vendredi
frost	서리	une	gelée blanche
fruit	과일	un	fruit

garlic	마늘	un	ail
German	독일어	l'	allemand
Germany	독일	l'	Allemagne
gift	선물	un	cadeau
gift shop	기념품점	une	boutique de souvenirs
girl	소녀	une	fille
girlfriend	여자 친구	une	petite amie
glasses	안경	des	lunettes
gloves	장갑	des	gants
glue	접착제	une	colle
grandchild	손주	un	petit-enfant
grandfather	할아버지	un	grand-père
grandmother	할머니	une	grand-mère
grape	포도	un	raisin
gray	회색	_	gris
green	녹색	_	vert
guidebook	가이드북	un	guide touristique
hair	머리카락	des	cheveux
hair dryer	헤어 드라이어	un	sèche-cheveux
ham	햄	un	jambon
hand	손	une	main
hand luggage	기내 수하물	un	bagage à main
handbag	핸드백	un	sac à main

handkerchief	손수건	un	mouchoir
hat	모자	un	chapeau
He	그	_	Il
head	머리	une	tête
headphones	헤드폰	des	écouteurs
herring	청어	un	hareng
Holland	네덜란드	les	Pays-Bas
honeymoon	신혼 여행	une	lune de miel
hospital	병원	un	hôpital
hostel	호스텔	une	auberge de jeunesse
hotel	호텔	un	hôtel
hour	시	une	heure
house	집	une	maison
How	어떻게	_	Comment
humidity	습도	une	humidité
hurricane	허리케인	un	ouragan
husband	남편	un	mari
I	나	_	Je
ice cream	아이스크림	une	glace
infant	유아	un	nourrisson
interest	이자	un	intérêt
international flight	국제선	un	vol international

174

international mail	국제우편	un	courrier international
Internet	인터넷	l'	Internet
Internet cafe	PC방	un	cybercafé
Italian	이탈리아어	l'	italien
Italy	이탈리아	l'	Italie
itinerary	일정표	un	itinéraire
jacket	재킷	une	veste
jam	잼	une	confiture
January	1 월	_	janvier
Japan	일본	le	Japon
Japanese	일본어	le	japonais
jeans	청바지	un	jean
journal	잡지	un	magazine
juice	주스	un	jus
July	7 월	_	juillet
June	6 월	_	juin
key	열쇠	une	clé
kiosk	키오스크	un	kiosque
kitchen	부엌	une	cuisine
knee	무릎	un	genou
knife	나이프	un	couteau
Korea	한국	la	Corée

Korean	한국어	le	coréen
lamb	양고기	un	agneau
lamp	램프	une	lampe
laptop	랩탑	un	ordinateur portable
lemon	레몬	un	citron
lemonade	레모네이드	une	limonade
library	도서관	une	bibliothèque
lightning	번개	une	foudre
lipstick	립스틱	un	rouge à lèvres
living room	거실	un	salon
lost and found	분실물 사무소	un	bureau des objets trouvés
mailbox	우편함	une	boîte aux lettres
main course	메인 코스	un	plat principal
makeup	화장	un	maquillage
man	남자	un	homme
map	지도	une	carte
March	3 월	_	mars
mashed potatoes	으깬감자	une	purée de pommes de terre
massage	마사지	un	massage
May	5 월	_	mai
meat	고기	une	viande
melon	멜론	un	melon

176

memory card	메모리카드	une	carte mémoire
menu	메뉴	un	menu
Mexico	멕시코	le	Mexique
milk	우유	un	lait
minute	분	une	minute
mirror	거울	un	miroir
miss	미스	une	mademoiselle
mister	미스터	un	monsieur
Monday	월요일	_	lundi
money	돈	un	argent
month	달	un	mois
mother	어머니	une	mère
mouth	입	une	bouche
museum	박물관	un	musée
mushroom	버섯	un	champignon
nail polish	매니큐어 액	un	vernis à ongles
napkin	냅킨	une	serviette
nationality	국적	une	nationalité
neck	목	un	cou
necklace	목걸이	un	collier
neighbor	이웃	un/une	voisin/voisine
newspaper	신문	un	journal
north	북쪽	_	nord

177

Norway	노르웨이	la	Norvège
Norwegian	노르웨이어	le	norvégien
nose	코	un	nez
November	11 월	_	novembre
October	10 월	_	octobre
olives	올리브	des	olives
omelette	오믈렛	une	omelette
oneway ticket	편도표	un	billet aller simple
onion	양파	un	oignon
opening hour	영업 시간	une	heure d'ouverture
orange color	주황색	_	orange
orange	오렌지	une	orange
oven	오븐	un	four
package	소포	un	colis
palace	궁전	un	palais
pancake	팬케이크	une	crêpe
pants	바지	un	pantalon
paper	종이	un	papier
parents	부모님	des	parents
park	공원	un	parc
passenger	승객	un	passager
passport	여권	un	passeport
password	비밀 번호	un	mot de passe

pea	완두콩	un	petit pois
peach	복숭아	une	pêche
pear	배	une	poire
pen	펜	un	stylo
pencil	연필	un	crayon
pepper	후추	un	poivre
perfume	향수	un	parfum
person	사람	une	personne
pharmacy	약국	une	pharmacie
phone	전화	un	téléphone
photo	사진	une	photo
pillow	베개	un	oreiller
pineapple	파인애플	un	ananas
pink	분홍색	_	rose
pizza	피자	une	pizza
plane ticket	비행기 표	un	billet d'avion
police station	경찰서	un	commissariat de police
pork	돼지고기	un	porc
port	항구	un	port
porter	포터	un	portier
post office	우체국	un	bureau de poste
postage	우편 요금	un	affranchissement
postcard	엽서	une	carte postale

potato	감자	une	pomme de terre
printer	프린터	une	imprimante
purple	보라색	_	violet
quality	품질	une	qualité
queue	차례, 줄	une	file d'attente
rain	비	une	pluie
rainbow	무지개	un	arc-en-ciel
raincoat	우비	un	imperméable
receipt	영수증	un	reçu
receiver	수신인	un	destinataire
reception	프론트	une	réception
red	빨강색	_	rouge
refrigerator	냉장고	un	réfrigérateur
refund	환불	un	remboursement
reindeer meat	순록고기	une	viande de renne
reservation	예약	une	réservation
restaurant	레스토랑	un	restaurant
rice	쌀	un	riz
room	방	une	chambre
room service	룸 서비스	un	service en chambre
round-trip ticket	왕복표	un	billet aller-retour
salad	샐러드	une	salade

sale	세일	des	soldes
salmon	연어	un	saumon
salt	소금	un	sel
Saturday	토요일	_	samedi
sauce	소스	une	sauce
sauna	사우나	un	sauna
sausage	소세지	une	saucisse
school	학교	une	école
scissor	가위	des	ciseaux
seat belt	안전 벨트	une	ceinture de sécurité
second	초	une	seconde
sender	발신인	un	expéditeur
September	9 월	_	septembre
shampoo	샴푸	un	shampooing
shawl	스카프	un	châle
She	그녀	_	Elle
shirt	셔츠	une	chemise
shoe store	신발가게	un	magasin de chaussures
shoes	신발	des	chaussures
shopping center	쇼핑몰	un	centre commercial
shopping street	상점가	une	rue commerçante
shoulder	어깨	une	épaule

shower	샤워기	une	douche
shrimp	새우	une	crevette
sidewalk	보도	un	trottoir
SIM card	심카드	une	carte SIM
single room	싱글룸	une	chambre simple
sister	자매	une	sœur
size	사이즈	une	taille
skin	피부	une	peau
skirt	스커트	une	jupe
sleet	진눈깨비	un	grésil
smart phone	스마트폰	un	smartphone
snow	눈	une	neige
snowstorm	눈보라	une	tempête de neige
soap	비누	un	savon
socket	콘센트	une	prise
socks	양말	des	chaussettes
sold out	품절	un	épuisé
son	아들	un	fils
soup	수프	une	soupe
south	남쪽	_	sud
Spain	스페인	l'	Espagne
Spanish	스페인어	l'	espagnol
spoon	스푼	une	cuillère

182

spring	봄	_	printemps
stamp	우표	un	timbre
starter	에피타이저	une	entrée
station	역	une	gare, station
steak	스테이크	un	steak
stomach	배	un	estomac
stopover	스탑 오버	une	escale
store	상점	un	magasin
storm	폭풍	une	tempête
strawberry	딸기	une	fraise
subway	지하철	un	métro
sugar	설탕	un	sucre
summer	여름	_	été
sun	해	un	soleil
Sunday	일요일	_	dimanche
sunglasses	선글라스	des	lunettes de soleil
sunscreen	선 블록	une	crème solaire
supermarket	슈퍼마켓	un	supermarché
Sweden	스웨덴	la	Suède
Swedish	스웨덴어	le	suédois
swimming pool	수영장	une	piscine
swimsuit	수영복	un	maillot de bain

table	테이블	une	table
tablet pc	태블릿 pc	une	tablette
tape	테이프	un	ruban adhésif
tax	세금	une	taxe
taxi	택시	un	taxi
tea	차	un	thé
teeth	치아	des	dents
temperature	기온	une	température
text message	문자 메시지	un	SMS
the day after tomorrow	모레	_	après-demain
the day before yesterday	그저께	_	avant-hier
theater	극장	un	théâtre
They	그들(남자, 혼성)	_	Ils
They (f.)	그들(여성)	_	Elles
thigh	허벅지	une	cuisse
throat	목	une	gorge
thunder	천둥	un	tonnerre
Thursday	목요일	_	jeudi
ticket	표, 티켓	un	billet
ticket office	매표소	une	billetterie
tie	넥타이	une	cravate
timetable	시간표	un	horaire

today	오늘	_	aujourd'hui
toe	발가락	un	orteil
toilet	화장실	une	toilette
tomato	토마토	une	tomate
tomorrow	내일	_	demain
toothbrush	칫솔	une	brosse à dents
toothpaste	치약	un	dentifrice
tourist	관광객	un	touriste
tourist office	관광 안내소	un	office de tourisme
towel	수건	une	serviette
town hall	시청	un	hôtel de ville
tracking number	배송조회번호	un	numéro de suivi
traffic	교통	une	trafic
traffic light	교통 신호	un	feu de signalisation
train	기차	un	train
train station	기차역	une	gare ferroviaire
tram	트램	un	tramway
traveler's checks	여행자 수표	des	chèques de voyage
trip	여행	un	voyage
trout	송어	une	truite
Tuesday	화요일	_	mardi
tuna	참치	un	thon

TV	텔레비전	une	télévision
twin	쌍둥이	un/une	jumeau/jumelle
uncle	삼촌	un	oncle
underwear	속옷	des	sous-vêtements
university	대학	une	université
USA	미국	Les	États-Unis
vegetables	채소	des	légumes
visa	사증, 비자	un	visa
waiter	웨이터	un	serveur
wallet	지갑	un	portefeuille
wardrobe	장롱	une	armoire
washing machine	세탁기	une	machine à laver
water	물	une	eau
watermelon	수박	une	pastèque
way	길	un	chemin
We	우리	_	Nous
We, One	우리(대화체)	_	On
weather	날씨	une	météo
weather forecast	일기 예보	une	prévisions météo
website	웹 사이트	un	site web
Wednesday	수요일	_	mercredi
week	주	une	semaine

weekday	평일	_	jour de la semaine
weekend	주말	_	week-end
west	서쪽	_	ouest
What	무엇을	_	Qu'est-ce que / Que
When	언제	_	Quand
Where	어디서	_	Où
white	흰색	_	blanc
Who	누가	_	Qui
Why	왜	_	Pourquoi
wife	아내	une	femme/épouse
wind	바람	un	vent
window	창	une	fenêtre
wine	와인	un	vin
winter	겨울	_	hiver
woman	여자	une	femme
wrist	손목	un	poignet
wristwatch	손목시계	une	montre-bracelet
year	년	une	an
yellow	노란색	_	jaune
yesterday	어제	_	hier
yoghurt	요구르트	un	yaourt
You	당신	_	Tu
You (pl.)	당신(들)	_	Vous

ZIP code	우편 번호	un	code postal
zoo	동물원	un	zoo